roman rouge

Dominique et Compagnie

Sous la direction de

Agnès Huguet

Angèle Delaunois

Série Drôles de contes
Le cadeau
de Samuel

Illustrations
Marie-Claude Favreau

Fiches pédagogiques des romans rouges

dominiqueetcompagnie.com/pedagogie

– des guides d'exploitation pédagogique pour l'enseignant(e)
– des fiches d'activités pour les élèves

Catalogage avant publication de Bibliothèque et Archives nationales du Québec et Bibliothèque et Archives Canada

Delaunois, Angèle
Le cadeau de Samuel
(Série Drôles de contes)
(Roman rouge ; 68)
Pour enfants de 6 ans et plus.

ISBN 978-2-89686-433-1

I. Favreau, Marie-Claude.
II. Titre. III. Collection: Delaunois,
Angèle. Série Drôles de contes.
IV. Collection : Roman rouge ; 68.

PS8557.E433C322 2012 jC843'.54 C2012-941252X
PS9557.E433C322 2012

Direction de la collection
et direction artistique :
Agnès Huguet
Conception graphique :
Primeau Barey
Révision et correction :
Danielle Patenaude

Dominique et compagnie
300, rue Arran
Saint-Lambert (Québec)
J4R 1K5 Canada
Téléphone : 514 875-0327
Télécopieur : 450 672-5448
Courriel :
dominiqueetcie@editionsheritage.com
Site Internet :
dominiqueetcompagnie.com

Nous reconnaissons l'aide financière
du gouvernement du Canada par
l'entremise du Fonds du livre du Canada
et par le Conseil des Arts du Canada.

Nous reconnaissons l'aide financière
du gouvernement du Québec par
l'entremise du Programme de crédit
d'impôt – SODEC – Programme d'aide
à l'édition de livres.

*À Loryck, Alice, Vincent,
Alexandre et Émilie*

Chapitre 1

Le retour de Samuel

Une grande réunion de famille se prépare chez les parents de François, Jeannot et Perrette. Maman est très énervée. Elle s'active dans la cuisine à préparer des montagnes de nourriture. Son frère aîné, Samuel, vient de rentrer au pays après six mois en Égypte. Reporter célèbre, il est presque tout le temps parti pour explorer les endroits les plus reculés de la planète.

Perrette est folle de lui. Jeannot le suit partout comme un petit chien. Quant à François, c'est sûr qu'il fera plus tard le même travail que son oncle. Pour couronner le tout, Samuel ne manque jamais de leur offrir des cadeaux vraiment fantastiques qui proviennent du bout du monde.

Le grand voyageur vient d'arriver. Il est tout bronzé. Ses cheveux bruns ont pâli sous le soleil et son sourire est éblouissant. Il a toujours hâte de retrouver sa famille. Il sait qu'on l'accueille avec amour chaque fois qu'il revient dans son petit village. Lorsqu'il se sent loin durant ses expéditions, cette pensée l'aide à tenir le coup.

Ses neveux sont suspendus à ses lèvres. Perrette s'est réfugiée dans ses bras et ne veut plus le lâcher. Samuel a pensé à eux durant son long séjour en Égypte et il leur rapporte de belles surprises. Avec un clin d'œil, il ouvre son gros sac et en sort plusieurs paquets.

Personne n'a été oublié. Maman dépose sur la table du salon un magnifique plateau en cuivre. Papa se réjouit de recevoir une boussole.

Grand-papi feuillette déjà le gros livre de photos que son fils lui a choisi. Perrette attache à son cou un beau collier porte-bonheur. Jeannot est béat d'admiration devant une peinture colorée représentant des oiseaux blancs. Et François? Son oncle lui remet un petit calepin recouvert de toile grise, maculé de taches, dont les coins sont cornés.

Le garçon regarde le carnet avec stupeur. Il le feuillette rapidement. Les pages sont couvertes d'une écriture en pattes de mouche et plein de trucs bizarres sont collés dessus. C'est ça son cadeau ? C'est une blague !

François fixe son oncle avec des yeux en points d'interrogation. Samuel sourit à son neveu en lui ébouriffant les cheveux.

– C'est un cadeau vraiment personnel, François, lui dit-il. Il a fait beaucoup de chemin ce carnet. Je suis sûr que tu vas comprendre !

Pour ne pas chagriner son oncle, François le remercie poliment, mais il est déçu. Tout le monde a reçu un souvenir formidable et lui, il doit se contenter d'un vieux calepin tout gribouillé. Carambouille ! Qu'est-ce qu'il y a à comprendre là-dedans ?

Chapitre 2

Le calepin

Après une visite de deux jours, Samuel est reparti. D'autres défis, d'autres aventures l'attendent. C'est un oiseau qui ne tient pas en place. François n'a pas encore regardé de près le fameux calepin offert par son oncle. Il n'en a pas vraiment envie. Mais aujourd'hui, il pleut et il n'a rien de mieux à faire. Pour être tranquille, le garçon se réfugie dans la grange et s'installe près d'une fenêtre.

27 octobre

Arrivée au Caire. Ma valise a été perdue quelque part en route. On me promet de la livrer au plus vite à mon hôtel. Une chance que mon matériel de photo ne me quitte jamais. C'est bien là l'essentiel. Dans trois jours, je pars pour Karnak. Si je ne reçois pas ma valise d'ici là, je ferai une croix dessus.

François a compris. Le calepin gris, c'est le journal de voyage de son oncle. Samuel a noté là-dedans, au jour le jour, tout ce qu'il a vu et vécu. Il y a aussi collé des billets d'avion, des prospectus, des cartes de visite, des factures, des sous-verres, des fleurs et des herbes séchées. À certains endroits, il a illustré son texte à l'aide de petits croquis. Une

plume blanche sert de signet. Entre les pages, François découvre même des grains de sable, comme si on l'avait traîné n'importe où, ce carnet. Et, collé dans une pochette à la dernière page, il trouve un CD de musique. Carambouille ! C'est vraiment n'importe quoi.

Frustré, François jette le petit livre dans le foin. Il se laisse bercer par la pluie en réfléchissant. Pourquoi son oncle lui a-t-il offert ce torchon de papier ? Lui, il aurait bien mieux aimé recevoir une boussole comme

son père, ou encore un livre, ou à la rigueur, un tableau stupide comme celui de Jeannot. Mais ça, c'est moins que rien !

Après avoir levé les yeux au ciel, François reprend sa lecture :

28 octobre

Visite chez mon ami Ibrahim Malouf. Sa fabrique de papyrus est prospère. J'ai visité tout son établissement : le hangar où l'on entrepose les tiges de papyrus et où on les fait tremper dans des cuves, la salle où on transforme

les fibres de la plante en papier, et le studio où les artistes reproduisent les fresques des temples et des tombeaux... J'ai acheté un papyrus représentant des ibis pêchant sur le bord du Nil. Je l'offrirai à un de mes neveux, probablement à Jeannot qui aime tant la nature.

Vraiment rien d'intéressant dans ce bouquin ! François s'en fiche bien de savoir où son oncle a acheté le papa... papus... papyrus de son frère. Dépité, le garçon rentre à la maison. Il dépose le carnet sur un coin de son étagère, bien décidé à l'oublier.

Chapitre 3

Le papyrus

Ce soir, il y a un petit drame dans l'air. Voulant se rendre intéressant auprès des copines de Perrette, Jeannot a emporté son cadeau chez Cricri pour leur montrer les beaux oiseaux blancs.

Les fillettes se sont extasiées, mais elles se sont vite désintéressées de la peinture lorsque Perrette a sorti son collier. Le précieux papyrus a été abandonné sur le coin d'une table.

Or, Cricri est la maîtresse de Bisouille, un chien complètement fou, toujours prêt à faire des bêtises. Attiré par l'odeur étrange du papier, l'animal s'est mis à renifler la peinture. Il a même réussi à en arracher un petit bout avant que les autres s'en aperçoivent.

Jeannot est revenu à la maison en hurlant qu'il allait massacrer cet imbécile de chien qui avait défiguré son tableau. Maman essaie de le calmer :

— On peut sûrement le réparer... se procurer du papier semblable dans une papeterie pour remplacer le morceau qui manque.

Pas mécontent de pouvoir étaler sa science toute neuve, François intervient :

— Ça m'étonnerait que tu puisses acheter ça dans une papeterie.

Ce n'est pas du papier, mais du papyrus. C'est fait à partir de plantes qui poussent dans l'eau, sur le bord du Nil. Les gens qui peignent dessus reproduisent les fresques qui décorent les tombeaux et les temples.

Carambouille! Tout le monde regarde François avec des yeux ronds. Il en sait des choses, ce garçon. Satisfait, il pousse un peu plus loin son avantage :

– Les oiseaux blancs sont des ibis. Ils trouvent leur nourriture en pataugeant dans l'eau. Et le Nil, c'est le grand fleuve qui coule en Égypte, sûrement un des plus longs fleuves du monde.

Papa se permet un petit sifflement admiratif. Maman tape sur l'épaule de son fils. Grand-papi observe François par-dessus ses lunettes.

– Et comment sais-tu tout cela ? Tu l'as appris à l'école ? lui demande-t-il.

– Pas du tout. Samuel m'a donné son carnet de voyage où il a noté tout ce qu'il a fait.

– Très intéressant ! Prends-en bien soin de ce carnet si spécial.

D'accord..., mais on ne va quand même pas en faire une salade. Ce n'est qu'un calepin gribouillé après tout... même s'il y a des choses originales dedans.

Chapitre 4

La recherche

François ne veut pas se l'avouer, mais le carnet de Samuel l'attire comme un aimant. Il le feuillette. Il admire les croquis de son oncle. Il examine les trucs qui y sont collés. Il le déchiffre à petites doses en jouant avec la plume blanche de l'oiseau. Au fil du temps, le garçon finit par connaître par cœur tous ses secrets. Et puis, il se laisse envoûter par la musique étrange du CD de flûte. François n'a jamais rien entendu de semblable.

La fin de l'année scolaire approche. Monsieur Bastien propose aux élèves de sa classe de faire un travail de recherche spécial. Le thème est le suivant : « Quelle aventure merveilleuse aimerais-tu vivre ? » Dans la cour de récré, ça discute fort. Mathieu imagine une fantastique expédition sur la Lune. Marjorie va descendre dans les cratères éteints d'un volcan. Luc veut monter à bord d'une machine à voyager dans le temps. Vincent rêve qu'il a des ailes. Sophie espère faire le tour du monde…

François les laisse parler. Lui, ça fait déjà longtemps qu'il est en route. Dans le calme de sa chambre, il s'embarque sur une felouque.

Le petit bateau s'éloigne de la rive où d'immenses papyrus murmurent dans le vent. La voile en triangle se gonfle. Une famille de grands ibis blancs s'élève dans le ciel bleu. Un temple se dessine sur l'horizon. Ses hautes colonnes sculptées miroitent au soleil. Au-delà, c'est la Vallée des Pharaons, le désert de sable et de pierres aux secrets encore inconnus. Le garçon navigue sur le Nil. Il joue de la flûte comme les petits bergers des temps anciens et il est heureux.

Carambouille ! Jamais François n'a travaillé aussi fort pour un travail de recherche. Sur une immense feuille de papier, il dessine son voyage. Il emprunte quelques anecdotes au carnet de son oncle, reproduit certains croquis. Il dessine des

oiseaux, des vagues, des poissons, des lotus et des personnages magnifiques qui se promènent sur le bord du fleuve dans de grandes robes. Il raconte aussi le désert en collant du sable et des petits cailloux sur son affiche. Et bien sûr, il fera écouter le CD de musique lorsque viendra son tour de faire rêver ses copains.

Grand-papi suit le travail de son petit-fils avec admiration. Il lui prête son livre de photos pour lui permettre de compléter sa recherche. Penché sur son œuvre, François ajoute des grandes pyramides et il reproduit le visage de Toutankhamon, un jeune roi aux yeux en amandes qu'il a l'impression de connaître de mieux en mieux.

Aujourd'hui, c'est le grand jour. Les élèves présentent leur projet devant la classe. Lorsque vient son tour de prendre la parole, François a le trac. Pour mettre de l'ambiance, il fait jouer la musique de la flûte pendant quelques instants. Ensuite, c'est facile. Il raconte aux autres le voyage qu'il connaît par cœur, les paysages qu'il a parcourus, les gens auxquels il a demandé sa route, les fruits inconnus qu'il a goûtés et l'odeur du Nil. Il ne se rend même pas compte du temps qui passe…

Lorsqu'il cesse de parler, c'est le silence total dans la classe. Carambouille ! Il a manqué son coup. Mais tout à coup, des applaudissements éclatent, et monsieur Bastien arbore un grand sourire ému.

– Bravo, mon garçon ! Tu nous as emmenés bien loin d'ici. Tu nous as fait voyager à la fois dans le temps et dans différents lieux. Ceux qui, comme toi, savent raconter et rêver ont beaucoup de chance. Leur vie est palpitante, et ils ignorent l'ennui.

François n'est pas sûr d'avoir tout compris. Il est super content mais, en même temps, ses yeux sont pleins

de larmes. Il a mis tellement de passion dans son travail que maintenant qu'il a tout donné, il se sent un peu vide. Sans rien dire, il roule son affiche et la glisse dans un tube de carton.

Marjorie, son amie de toujours, s'approche de lui. Elle aussi, elle a les yeux mouillés. Sans rien dire, elle l'aide à ramasser ses affaires.

François tousse un coup et se décide :

– Comment c'était ?

– C'était toi le meilleur… Tu seras sûrement un grand explorateur plus tard.

– Tu crois ?

– Sûr ! Tu nous as donné envie de découvrir l'Égypte. Grâce à toi, je sais que c'est possible et que tout ce que tu as raconté existe vraiment !

Chapitre 5

Le cadeau

Enfin des nouvelles de Samuel ! Maman a reçu via Internet une photo du Pérou où on voit le voyageur en train de rigoler, entouré de lamas et d'enfants coiffés de bonnets multi-colores. Il annonce qu'il rentre au pays et qu'il leur rendra visite la semaine suivante.

Alors, comme d'habitude, c'est le branle-bas de combat à la maison. Toute la famille est invitée à venir célébrer le retour de l'aventurier.

Jeannot est embêté. Son papyrus ramasse la poussière dans le fond de son placard. Il le nettoie et le fixe au-dessus de son lit avec des punaises, mais le petit bout mangé par Bisouille n'a pas été réparé. Perrette cherche son collier partout. Elle ne sait pas où elle l'a rangé. Papa ne s'est jamais servi de sa boussole. Maman a pris l'habitude de poser plein de papiers sur son plateau en cuivre, ce qui fait qu'on ne le voit plus du tout. Grand-papi a prêté le livre de photos à un de ses amis qui ne le lui a pas encore rendu.

François n'a pas mangé, égaré, délaissé, prêté ou enfoui le cadeau que lui a offert Samuel. La couverture du carnet commence à se décoller, mais c'est parce qu'il a beaucoup été lu. François le considère comme son trésor le plus précieux. Bien sûr, il a permis au garçon de recevoir la meilleure

note de sa vie, mais ce n'est pas le plus important. Ce calepin est devenu un ami, un prolongement de son oncle durant son absence. Grâce au petit carnet gris, François a appris que les cadeaux spectaculaires ne sont pas toujours les plus extraordinaires. En partageant avec son neveu tous les événements de son voyage, Samuel lui a donné une partie de son cœur.

Le voyageur arrive enfin, avec son grand sourire et ses cheveux décolorés par le soleil. Comme toujours, il rapporte un sac rempli de cadeaux. On se bouscule autour de lui. On l'embrasse. On rigole. La journée se déroule dans la joie.

Le soir venu, François se glisse sur le balcon où son oncle admire les étoiles. Samuel passe un bras autour des épaules de son neveu.

–Tu vois, là-haut, c'est Cassiopée...
et là, c'est Sirius. Un jour, on ira
tous dans les étoiles.

–Ouais..., mais on a plein de
choses à découvrir sur notre bonne
vieille planète avant d'aller si loin.
Grâce à toi, je connais l'Égypte et,
moi aussi, j'ai un cadeau pour toi.

François tend à son oncle son
précieux itinéraire, celui qu'il a tracé
avec tant de passion pour ses
amis, mais qu'il n'aurait jamais pu
imaginer sans le petit calepin gris.

Le voyageur déroule le papier et l'examine sans rien dire durant de longues minutes. François guette ses réactions. C'est tellement important pour lui.

—Je savais que tu allais comprendre, mon grand. Bienvenue dans le club des explorateurs. Dans quelques années, on partira tous les deux.

Carambouille ! Courir les chemins de la Terre avec son oncle Samuel... François ne peut pas imaginer un plus beau cadeau !

Dans la même série

Rougeline et le loup

Le choix de Perrette

Jean-de-la-ville

Cricri Cigale

Jules Lelièvre